Un fine settimana a ROMA

UN VIAGGIO, UNA CITTÀ, UNA STORIA

Slawka G. Scarso

CONDIVIDI LE TUE FOTO E I TUOI VIDEO
DELLA CITTÀ!
#UNFINESETTIMANAAROMA

VUOI FARE ALTRI VIAGGI?

Un fine settimana a

Un fine settimana a ROMA

UN VIAGGIO, UNA CITTÀ, UNA STORIA

INDICE

TRACCE AUDIO E SOLUZIONI DELLE ATTIVITÀ SU
www.cdl-edizioni.com
(catalogo → letture → Un fine settimana a Roma)

Dizionario visivo *Giorno 1*

terrazza

laghetto

panchina

cupola

viale alberato

carrozza

scalinata

barca

giocare a palla

negozio di souvenir

tagliere

Giorno 1

È una bella giornata di maggio. Nel parco di Villa Borghese, a Roma, dei ragazzi giocano a palla. Due uomini anziani leggono il giornale su una panchina. Un bambino va in bicicletta. Una famiglia va in barca sul laghetto. Ogni tanto passa una carrozza con dei turisti che fanno foto. Tra i turisti ci sono anche Lucia e sua madre, Franca, che camminano lungo il viale alberato. Sono arrivate questo pomeriggio a Roma e per prima cosa hanno visitato Galleria Borghese, la villa che dà il nome al parco. Oggi è un museo con opere di Caravaggio e Bernini.

– Sei stanca? Ci riposiamo[1] un po'? – domanda Lucia.

– Ma no, ho solo sessant'anni, non ottanta! – risponde Franca. Quando però trovano una panchina si siede[2] subito.

– Ahhhhhh – sospira Franca.

Lucia ha trent'anni. È nata a Bari ma lavora a Milano, dove dirige un ristorante. Ha studiato alla scuola alberghiera di Bari,

Villa Borghese

È uno dei parchi più grandi di Roma, ha una superficie di circa 80 ettari, e al suo interno si trovano giardini all'italiana e all'inglese, palazzi, fontane e laghetti. C'è anche la Casa del Cinema dove si tengono rassegne cinematografiche e, dal 2003, è attivo il Silvano Toti Globe Theatre, una ricostruzione del Globe Theatre di Shakespeare a Londra.

poi si è laureata[3] in Economia. Dopo l'università ha lavorato in alberghi e ristoranti a Londra, Parigi e ora a Milano. Milano le piace ma le mancano il sole e il mare di Bari.

Franca ha sessant'anni. Domani è il suo compleanno[4]. Sua figlia le ha regalato una vacanza a Roma, dove Franca ha vissuto per qualche anno tanto tempo fa. Subito dopo la maturità[5] è tornata a Bari con la sua famiglia, dove ha conosciuto il padre di Lucia. Da allora non è più tornata a Roma, ma parla sempre di quegli anni.

– Che bei ricordi[6]! Ah, la gioventù[7]!

Franca e Lucia si assomigliano[8] molto fisicamente. Sono magre, non molto alte. Hanno gli occhi verdi e grandi. Lucia ha i capelli neri e lunghi fino alle spalle. Franca ora li ha corti e grigi. Madre e figlia hanno però caratteri molto diversi. Lucia è calma e silenziosa ma determinata, come il padre. Franca è sempre allegra, chiacchiera[9] con tutti, canta a tutte le ore.

Sedute sulla panchina guardano i ragazzi che giocano a palla. Franca ricorda i pomeriggi passati a Villa Borghese con la sua

Galleria Borghese

È un edificio del XVII secolo fatto costruire dalla famiglia Borghese, una delle famiglie più importanti di Roma. Nel 1902 è stata trasformata in museo e oggi ospita opere di Bernini, Canova, Caravaggio, Raffaello, Tiziano e molti altri. Non è possibile visitare le sale senza prenotazione.

amica Angelica, che è stata la sua migliore amica durante il liceo[10]. In ogni ricordo di Franca di quegli anni, c'è sempre Angelica: la scuola, i pomeriggi a Villa Borghese, il cinema, le passeggiate a Trastevere. Anche adesso la ricorda.

– Mi parli sempre di Angelica. Ma perché vi siete perse di vista[11]?

– All'inizio ci siamo scritte lettere e cartoline... ma poi il lavoro, il matrimonio, i figli...

Lucia ascolta ancora questa storia che ha sentito mille volte. Ascolta silenziosa, ma intanto sorride[12]. Non riesce a restare seria.

– Perché ridi? – domanda Franca.

– Niente, niente... – risponde Lucia, e scoppia a ridere[13].

– Dimmi cosa c'è!

– Niente, lascia stare. Dai, andiamo. Dobbiamo ancora vedere tante cose.

Lucia si guarda attorno. Lì vicino c'è una mappa della Villa.

– Ecco, dobbiamo arrivare alla Terrazza del Pincio, poi giriamo a sinistra verso piazza di Spagna.

Terrazza del Pincio

È una terrazza panoramica da cui si gode una delle migliori viste su Roma. La terrazza è stata progettata da Giuseppe Valadier, un importante architetto del periodo neoclassico.

Camminano veloci e si fermano solo alla Terrazza del Pincio per godersi il panorama di Roma. Da lì si vede la bellissima piazza del Popolo. Oltre si riconosce la cupola di San Pietro. A sinistra, invece, vedono l'Altare della Patria. Ogni tanto Franca nota che sua figlia sorride in un modo strano. Le chiede perché, ma Lucia dice che non è nulla: è solo felice di essere a Roma con sua madre. Ma Franca è sospettosa.

Si scattano una foto poi continuano a camminare. Arrivate alla scalinata[14] di Trinità dei Monti scendono verso piazza di Spagna.

– Ho passato tanti pomeriggi seduta qui con Angelica. C'erano sempre dei ragazzi con la chitarra.

A questo punto Lucia scoppia davvero a ridere. Non si trattiene più.

– Ma insomma, che cosa c'è?! – domanda Franca spazientita[15].

– Ho una sorpresa per te.

– Un'altra? Mi hai regalato questa vacanza a Roma, quale altra sorpresa ci può essere?

Piazza del Popolo

È una delle piazze più importanti e più grandi di Roma. In mezzo alla piazza si trova l'Obelisco Flaminio, e poi ci sono tre chiese: una sul lato nord (Santa Maria del Popolo) e due "chiese gemelle" sul lato sud (Santa Maria dei Miracoli e Santa Maria in Montesanto). Piazza del Popolo ospita anche tante manifestazioni e concerti.

– Ho trovato la tua amica Angelica!

– Come?! Ma non è possibile! – esclama Franca. È molto stupita ma anche felice.

– Ho cercato su internet. Non è stato facile. Angelica ora lavora in un negozio qui a piazza di Spagna.

– Qui? Ma sei sicura?

– Ho trovato il suo nome sull'elenco. È la proprietaria del negozio.

– Ah, è diventata ricca! Mi fa piacere.

– Andiamo?

– Ma... adesso? Subito? – domanda Franca. Ora sembra preoccupata[16].

– Cosa ti preoccupa? Non vuoi vedere la tua amica?

– Ma sì, certo, però è passato molto tempo... Forse neanche si ricorda di me.

– Ma figurati[17] se non si ricorda! Dai, andiamo!

Franca è molto emozionata, non sa cosa fare. Lucia invece è

Piazza di Spagna

Con la monumentale scalinata di Trinità dei Monti, è una delle piazze più famose di Roma. Il nome deriva dal palazzo di Spagna, sede dell'ambasciata spagnola presso la Santa Sede. Tra i monumenti più famosi c'è la Fontana della Barcaccia, una fontana-scultura a forma di barca, realizzata da Pietro e Gian Lorenzo Bernini.

decisa. Prende per mano la madre e la convince ad andare.
In piazza di Spagna, superano la fontana della Barcaccia, circondata come sempre da turisti, e vanno dritte su via dei Condotti, una strada piena di negozi di firme molto importanti della moda. Nelle grandi vetrine c'è solo un abito, o solo una borsa. Franca non ha il coraggio di guardare il prezzo di questi vestiti, e poi sente il cuore che le batte forte per l'emozione. Subito dopo il Caffè Greco, girano a destra. Ancora pochi metri, poi Lucia si ferma davanti a un negozio di souvenir.

– Ecco, ci siamo. Angelica è qui.

Franca inspira profondamente. Lucia entra per prima, lei la segue con il cuore in gola[18].

Il negozio è pieno di oggetti con la Lupa capitolina e con scritte "I love Roma" e "SPQR". Ci sono anche guide turistiche e calendari con le foto del Papa e dei monumenti di Roma. Una donna è in piedi dietro al bancone. Ha i capelli biondi, gli occhi marroni. Secondo Lucia ha quaranta, forse quarantacinque anni. Franca e

Lupa capitolina

Secondo la mitologia romana, una lupa ha allattato i due gemelli Romolo (fondatore e primo re di Roma) e Remo. Insieme all'acronimo SPQR (*Senatus PopolusQue Romanus*), che significa "il Senato e il Popolo di Roma", è uno dei simboli più rappresentativi della città.

Lucia si guardano attorno ma non sono assolutamente interessate ai souvenir.

– Posso aiutarvi? – domanda la donna.

Franca non dice nulla. È diventata improvvisamente timida. Lucia si fa avanti:

– Stiamo cercando la signora Angelica, – spiega Lucia.

– Sono io!

Lucia capisce allora che si è sbagliata[19]. La proprietaria del negozio ha il nome dell'amica di sua madre, ma è solo una coincidenza. Niente di più. Si volta verso Franca, che non dice nulla. Spiega alla negoziante che stanno cercando una donna di sessant'anni con il suo nome, ma purtroppo lei non ne sa niente.

Fuori dal negozio, Lucia è dispiaciuta. Non sa che fare:

– La mia sorpresa è un fiasco[20]!

Deluse, continuano a camminare. Arrivano fino al Pantheon e da lì risalgono verso largo di Torre Argentina, superano piazza Venezia e arrivano fino al quartiere Monti, una zona dove ci sono

Pantheon

Antico tempio romano trasformato poi in basilica cristiana ha una struttura circolare e un portico con colonne. La cupola ha un diametro di 43,44 m ed è una delle più grandi al mondo. Al suo interno ci sono le tombe di alcuni personaggi illustri come Raffaello (pittore) e Arcangelo Corelli (musicista), e di due re d'Italia (Vittorio Emanuele II e Umberto I).

molti locali ed enoteche. Si fermano in un'enoteca a prendere un bicchiere di vino con un tagliere di salumi e di formaggi. Hanno camminato tanto e adesso sono esauste. Ma la sera è tiepida e profuma di fiori, e Roma è bellissima.

Rione Monti

Nasce come quartiere popolare, ma oggi è una delle zone più "trendy" della città: le stradine strette, i palazzi antichi, i negozi alternativi e i locali particolari danno al quartiere un'aria vintage molto apprezzata da romani e turisti.

ATTIVITÀ *Giorno 1*

1

Durante il primo giorno del viaggio hai conosciuto le protagoniste. Indica quali delle seguenti affermazioni si riferiscono a Franca e quali a Lucia.

	Franca	Lucia
1. È a Roma per festeggiare il suo compleanno.		
2. Ha preparato una bella sorpresa.		
3. Ha un carattere allegro.		
4. Ha vissuto a Roma tanto tempo fa.		
5. Ha vissuto e lavorato all'estero.		
6. È una persona tranquilla.		

2

Franca e Lucia provano tante emozioni. Abbina le frasi della colonna sinistra a quelle della colonna destra.

1. "Che bella giornata! Che bel parco! E adesso andiamo anche a visitare Galleria Borghese, evviva!"

2. "Dopo tanti anni posso rivedere la mia cara amica Angelica!"

3. "È passato tanto tempo... forse Angelica non mi riconosce, non si ricorda..."

4. "La proprietaria del negozio non è l'amica della mamma... la mia sorpresa non ha funzionato!"

a. Franca è emozionata.

b. Lucia è delusa.

c. Lucia è allegra.

d. Franca è preoccupata.

Abbina le seguenti attività, che si possono fare in un parco, alle immagini corrispondenti.

fare una passeggiata	andare in bicicletta	fare sport
leggere un libro	prendere il sole	giocare con il cane

LA CITTÀ ETERNA

Fondata secondo la tradizione il 21 aprile del 753 a.C., è stata la prima metropoli dell'umanità e la capitale dell'Impero romano. Dal 1871 è la capitale d'Italia. Oggi ha quasi 3 milioni di abitanti, anche se tra turisti, lavoratori pendolari, studenti, residenti vaticani e diplomatici si arriva ogni giorno a quasi 4 milioni di persone. Con circa 15 milioni di turisti all'anno, è di sicuro una delle destinazioni più amate tra i viaggiatori.

1

2

3

APPUNTI **CULTURALI**

Il valore e la quantità di patrimonio culturale presente a Roma rendono questa città unica, suggestiva e maestosa. Il suo centro storico comprende più di 25.000 punti di interesse. Passeggiare per le sue vie e piazze è una continua scoperta di bellezze di epoche diverse.

1 La Roma antica è una delle attrazioni più imponenti, che richiama ogni anno numerosissimi turisti. Il simbolo della Roma imperiale è, senza dubbio, il Colosseo (foto), il più grande e importante anfiteatro romano, capace di contenere fino a 75.000 spettatori. Altri siti archeologici importanti di Roma antica sono i Fori imperiali, le Terme di Caracalla, le Terme di Diocleziano, la Domus Aurea, il Palatino e il Circo Massimo.

2 L'anima classica convive con quella cristiana: a Roma ci sono più di 900 chiese, di tutte le epoche. Le basiliche papali sono quattro: San Giovanni in Laterano, Santa Maria Maggiore, San Paolo fuori le mura e San Pietro in Vaticano (foto), la più grande e la più famosa, costruita durante più di 150 anni. Al progetto hanno partecipato anche Michelangelo, che ha disegnato la grande cupola, e Bernini, che ha realizzato la piazza con l'imponente colonnato.

3 L'epoca barocca ha dato a Roma tantissime opere di scultura, pittura e architettura. In questa epoca si cerca l'esaltazione della città, della sua grandiosità. Piazza Navona (foto) è la piazza barocca per eccellenza, qui troviamo opere di Bernini (Fontana dei Quattro fiumi) e Borromini (Chiesa di Sant'Agnese), i maggiori esponenti del barocco romano.

Dizionario visivo

Giorno 2 prima parte

mura

pizza al taglio

palazzo

cane

supplì

macchina

panni stesi

taccuino e penna

abbraccio

bastone

incrocio

citofono

finestra

Giorno 2 - prima parte

Il giorno dopo Franca e Lucia si alzano con calma e vanno a visitare la Centrale Montemartini. Dall'albergo camminano verso la metropolitana. Prendono la linea rossa, la Metro A.

– Arriviamo alla stazione Termini, – spiega Lucia – e da lì prendiamo la metropolitana B. C'è una fermata[1] a Garbatella. Da lì il museo non è molto lontano.

– Lo spero! Non voglio camminare tanto quanto ieri! – esclama Franca ancora affaticata[2].

Il museo è affascinante: una vecchia centrale elettrica[3] trasformata in museo. Si vedono sculture romane esposte tra i vecchi macchinari. Passano lì un paio d'ore, poi si fermano a mangiare un pezzo di pizza al taglio e un supplì.

– Mamma, sbaglio o questo è il quartiere[4] dove vivevi?

– Esatto! Ma... perché? – Franca ha notato che la figlia è pensierosa[5].

Street food romano

Sono tante le specialità da mangiare per strada a Roma. Oltre alla pizza al taglio e ai supplì, si possono gustare tramezzini (sandwich triangolari farciti con vari ingredienti), filetti di baccalà fritti, il classico panino con la porchetta, pizza bianca e mortadella, e la grattachecca (ghiaccio triturato con succo di frutta).

– Mi è venuta un'idea: perché non cerchiamo[6] il palazzo di Angelica? Magari la sua famiglia abita ancora lì.

– Dici? Non so...

– Dai, mamma! Chi la dura la vince[7]!

– Ma sì, va bene, andiamo. Però prendiamo la metro che sono stanca.

Quando arrivano a Ostiense ed escono dalla metro, Franca vede una stazione familiare, è quella dei treni per Ostia.

– Da qui si va a Ostia. È il mare di Roma, però il mare di Bari è molto più bello, – ammette.

Davanti a loro c'è la Piramide Cestia e si vedono anche le mura del Cimitero Acattolico, dove sono sepolti[8] poeti inglesi e personaggi storici e politici non cattolici o atei. Ci sono anche la Porta San Paolo e le Mura Aureliane. E c'è tanto traffico, così tanto che Franca si guarda attorno e si sente persa.

– È passato molto tempo, non ricordo molto. Dobbiamo chiedere indicazioni[9].

Piramide Cestia

Caio Cestio, un importante uomo politico, fa costruire questa piramide come monumento funerario in suo onore (I sec. a. C.). In quegli anni l'Egitto diventa una provincia romana e lo stile egiziano è di moda a Roma. Nel III secolo è stata incorporata nelle Mura Aureliane.

Lì vicino vedono un gruppo di persone in cerchio che aspettano davanti alla fermata della metropolitana. Al centro c'è un uomo che parla. Franca e Lucia si avvicinano[10]:

– Benvenuti a questa visita guidata della street art di Ostiense, – dice la guida. – I murales sui palazzi in questa zona di Roma sono diventati molto famosi in questi anni, insieme a quelli di Tor Marancia e di Garbatella. Il primo murales è stato dipinto proprio a Garbatella, ma quelli che preferisco sono a Ostiense. Li visitiamo tra poco. Per favore, seguitemi[11].

Il gruppo inizia a camminare dietro alla guida. Franca si avvicina per chiedere un'informazione:

– Mi scusi, dobbiamo andare in via Giuseppe Acerbi, ma non ricordo più come arrivare. Ci può aiutare?

– Certo, stiamo andando anche noi in quella direzione. Potete unirvi al nostro gruppo se volete.

Mentre camminano lungo la via Ostiense, la guida spiega che la street art è una forma di arte all'aria aperta. Si trova nei quartieri

Ostiense

Ex zona industriale, è il quartiere più "underground" di Roma. Offre interessanti esempi di archeologia industriale, come il Gazometro, e di ex fabbriche recuperate, come le sedi di alcune facoltà dell'Università di Roma Tre.

popolari e trasforma i palazzi grigi in facciate[12] piene di colori: blu, rosso, arancione, giallo, verde. Franca intanto si guarda attorno e si ricorda i luoghi dove è cresciuta, anche se ora le sembrano molto diversi. Forse perché ci sono macchine ovunque, e tutti suonano il clacson. Un automobilista urla "Aoh!!!" a un altro che blocca la strada. Quando arrivano in via del Porto Fluviale la guida indica il primo murales:

– È bellissimo! – esclama Franca. Il murales ha tanti colori e nel disegno[13] le finestre del palazzo diventano gli occhi delle figure.

La guida allora spiega:

– Via Giuseppe Acerbi è lì. Proseguite dritto per altri venti metri, poi girate a sinistra.

– Grazie mille! – dicono insieme Franca e Lucia.

Adesso Franca è più decisa. Non ha più paura[14] come quando è entrata nel negozio di souvenir.

– Vieni, – dice alla figlia. – Ecco, il numero 20.

È un palazzo alto quattro piani[15]. Da un balcone all'altro ci

Street art a Roma

Ci sono più di 300 opere di street art in 150 strade della città, che hanno trasformato ex zone industriali e quartieri di periferia in gallerie d'arte a cielo aperto. Si possono ammirare queste opere nei quartieri Quadraro, Ostiense, Garbatella, Testaccio, San Lorenzo, Pigneto, per esempio.

sono corde con i panni stesi. Proprio adesso c'è una signora molto anziana che appende il bucato[16]. Le guarda con diffidenza[17]. Sul citofono ci sono tanti nomi. Franca trova quello della famiglia di Angelica.

– Abitano ancora qui! Siamo fortunate!

Suona al citofono. Aspettano, ma non risponde nessuno. Dopo un paio di minuti Franca suona di nuovo:

– Forse ho suonato piano...

Aspettano ancora, ma non succede niente. Dal balcone la signora continua a osservarle ma non dice nulla. Un uomo intanto si avvicina. Anche lui è molto anziano, forse ha ottant'anni, ha un cane e cammina con un bastone.

– Cercate la famiglia Grandi?

– Sì, ma forse non sono in casa, – risponde Franca.

A questo punto la signora sul balcone prende coraggio:

– Mario! – urla, – Chi sono queste signore?

Mario alza una mano, le fa cenno di aspettare.

– Purtroppo, il signor Grandi è morto l'inverno scorso. La signora Grandi invece si è trasferita in una casa di riposo[18] a Testaccio. Siete amici di famiglia?

– Sono una vecchia amica della figlia. Dei tempi della scuola, – risponde Franca.

– Mariooooo! Chi sono? – insiste la signora. Il signor Mario alza di nuovo la mano.

– Ah, un'amica di Angelica. Che cara ragazza, – poi guarda in alto verso la signora. – È un'amica di Angelica!

– Ahhhhhhhh! Buongiorno! Salite a prendere un caffè! – dice la signora e agita il bucato per salutare.

– Grazie, non vogliamo disturbare... – si giustifica Franca.

– Insisto! – urla la signora.

Lucia, Franca, Mario e il cane salgono insieme. La moglie di Mario le accoglie con un abbraccio.

– Piacere, mi chiamo Antonietta, – dice a Lucia.

– Il piacere è mio. Io sono Lucia, la figlia di Franca.

Antonietta versa il caffè a tutti. Parlano del più e del meno[19]. Ricordano la Roma di un tempo, con parecchia nostalgia. Soprattutto Antonietta.

Finalmente Mario riprende il discorso:

– Angelica non la vedo da tempo, ma le posso dare l'indirizzo della casa di riposo dove abita la madre. È qui vicino, a Testaccio. Ogni tanto le facciamo visita.

– Grazie mille!

Lucia prende dalla borsa un taccuino e una penna e Mario scrive con attenzione l'indirizzo.

– Ad ogni modo, per andare alla casa di riposo, dovete tornare verso l'incrocio con i murales. Lì girate a sinistra e proseguite sempre dritto. Passate sotto gli archi, continuate sempre dritto, superate il Cimitero Acattolico, poi quando incrociate via Galvani girate a sinistra verso il vecchio mattatoio[20].

– Il mattatoio? – domanda Lucia preoccupata.

– Mario, si chiama Macro adesso! – spiega la signora Antonietta – Ci fanno molte mostre di arte contemporanea.

– Bah, con tutta l'arte antica che c'è a Roma... Comunque, la casa di riposo è accanto al museo, sulla destra.

ATTIVITÀ *Giorno 2 prima parte*

Indica se le seguenti affermazioni sono vere o false. Poi correggi quelle false.

	V	F
1. Franca e Lucia vanno a Ostia in metro.		
2. Franca e Lucia fanno un pasto veloce.		
3. A Franca non piace la Street Art.		
4. Franca e Lucia trovano la casa di Angelica, ma non c'è nessuno.		
5. Antonietta e Mario sono i genitori di Angelica.		
6. La madre di Angelica è al vecchio mattatoio.		

2

Metti in ordine le seguenti frasi per ricostruire il testo sulle Mura Aureliane.

- ☐ Hanno partecipato tutti i cittadini.
- ☐ Per questo le mura sono spesso diverse da una zona all'altra.
- ☐ Le Mura Aureliane sono state costruite dall'imperatore Aureliano (III secolo).
- ☐ Ognuno ha usato tecniche e materiali diversi.
- ☐ Per proteggere la città dai barbari.

3

Osserva il percorso che devono fare Franca e Lucia per andare al Cimitero Acattolico. Quali indicazioni devono seguire?

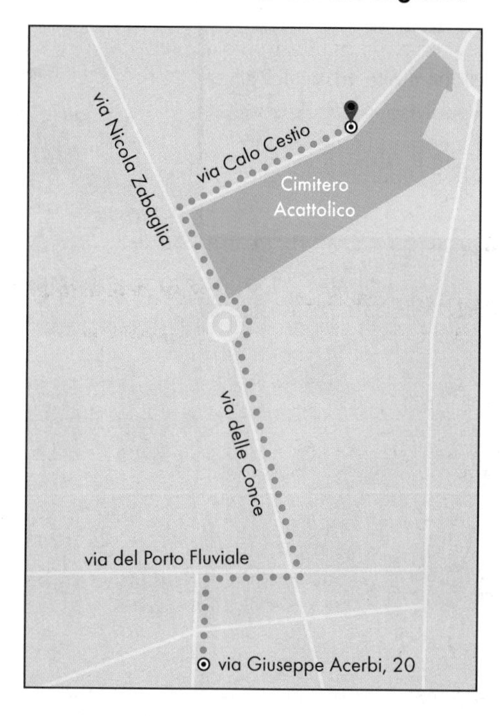

a. Andate dritto su via Giuseppe Acerbi e poi girate a destra su via del Porto Fluviale. Dopo l'incrocio girate a sinistra e prendete via delle Conce. Proseguite dritto. Alla rotonda prendete via Nicola Zabaglia. Poi girate a destra su via Caio Cestio. Dopo circa 200 m, sulla sinistra, c'è l'entrata del cimitero.

b. Andate dritto su via Giuseppe Acerbi e poi girate a destra su via del Porto Fluviale. Al primo incrocio girate a sinistra e prendete via delle Conce. Proseguite dritto fino alla rotonda. Alla rotonda prendete via Nicola Zabaglia. Poi girate a destra su via Caio Cestio. Dopo circa 200 m, sulla destra, c'è l'entrata del cimitero.

c. Andate dritto su via Giuseppe Acerbi e poi girate a sinistra su via del Porto Fluviale. Al primo incrocio girate a sinistra e prendete via delle Conce. Proseguite dritto. Prima di arrivare alla rotonda prendete via Nicola Zabaglia. Poi girate a destra su via Caio Cestio. Dopo circa 200 m, sulla destra, c'è l'entrata del cimitero.

QUARTIERI AUTENTICI

Roma ha un'estensione molto vasta: 1.285 km^2. Il territorio è suddiviso in rioni (zone del centro storico), quartieri (zone intorno alle Mura aureliane) e suburbi (zone oltre i quartieri).

1

2

3

APPUNTI **CULTURALI**

Roma, come capitale dell'Impero Romano e poi come capitale d'Italia, e anche per la presenza del Vaticano, ha da sempre ospitato tantissimi stranieri e italiani provenienti da altre città. È una metropoli internazionale che, però, mantiene molti aspetti tipicamente romani.

1 Definito "er core de Roma" (il cuore di Roma), **Trastevere** è, probabilmente, il quartiere più autentico. È un piacere perdersi per le sue stradine e i suoi vicoli, scoprire piazze e piazzette. Di giorno è animato dalle botteghe artigiane, dai negozietti e dai mercati; la sera, le stradine e le piazze si riempiono di romani e turisti che prendono l'aperitivo, cenano o bevono qualcosa.

2 In epoca romana **Testaccio** ospita uno dei porti più importanti della città. A fine '800, con la riorganizzazione urbana, diventa un quartiere di operai e lavoratori. Nasce, così, la sua anima popolare. Nel corso delle epoche, Testaccio è riuscito sempre a mantenere il suo spirito genuino, semplice e familiare.

3 Garbatella nasce negli anni '20 come quartiere popolare e ha un'architettura molto particolare: gli architetti che lavorano alla sua costruzione si ispirano alle città giardino inglesi, per la struttura, e creano uno stile particolare, il "barocchetto romano". Ancora oggi mantiene la caratteristica di "quartiere paese": la tranquillità e l'aspetto popolare. Tutto il quartiere è diviso in "lotti", superfici che contengono costruzioni non molto alte, cortili e giardini interni, che sono punti di ritrovo per la vita quotidiana della popolazione.

Dizionario visivo

Giorno 2 seconda parte

brocca

bicchiere

antipasto a buffet

battere le mani

piatto

bancone

valigia

candeline

trattoria

torta

crostata

Giorno 2 - seconda parte

Lucia e Franca si incamminano[1]. Lucia vede che sua madre è più stanca. Le chiede se si vuole fermare, ma Franca è determinata. Mentre camminano, trovano molti locali dove la sera si balla, e trattorie di cucina romana. Ora però è troppo presto e non c'è nessuno.

Finalmente arrivano alla casa di riposo. Quando entrano però sembra vuota. Solo alla reception, quando si avvicinano, vedono il guardiano che guarda una partita[2] in TV. È così attento al gioco che non si accorge[3] che sono entrate.

– GOAAAAAAAAL! – urla[4] all'improvviso[5]. E per lo spavento[6] urlano pure Franca e Lucia. Urlano tutti e tre e si sente l'eco nella casa di riposo vuota.

– Ma chi siete?

– Dove sono tutti? – domanda Lucia.

– Sono andati alle terme[7]! Non c'è nessuno. Cosa volete? – L'uomo è spazientito. L'hanno disturbato proprio mentre gioca[8] la sua squadra del cuore[9]!

– Stiamo cercando la signora Grandi.

– Tornano domani sera, – poi si gira di nuovo verso il televisore.

Lucia e Franca si guardano sconsolate[10]. Domani sera la loro vacanza romana finisce. Hanno il treno per tornare a casa: Lucia a Milano e Franca a Bari.

Escono dalla casa di riposo e già che ci sono visitano l'ex Mattatoio. Anche questo posto è rinato grazie all'arte, come la Centrale Montemartini.

Quando escono ormai è ora di cena, Lucia propone di andare a mangiare.

– Testaccio è un'ottima zona per mangiare. Ci sono ancora delle trattorie tradizionali. Non le classiche trappole per turisti[11].

– Non ho molta fame[12], – dice Franca, ma Lucia insiste. Una buona cena di sicuro le tirerà su il morale[13].

Entrano in una trattoria. Ci sono tante fotografie in bianco e nero di Roma. I piatti e i bicchieri sono semplici. Il vino su alcuni tavoli è vino della casa[14], in brocche, ma Lucia nota anche che ci sono bottiglie di aziende importanti sugli scaffali. In un angolo[15] c'è un bancone con gli antipasti misti: verdure grigliate, salumi, formaggi, frittate, olive.

– Quello è l'antipasto a buffet, – spiega il cameriere che le guida al tavolo. Porta il menù e dopo qualche minuto torna con un block notes e l'acqua.

– Siete pronte per le ordinazioni[16]?

Lucia intanto ha studiato bene il menù. Ci sono carciofi alla giudia, l'antipasto misto, e poi tra i primi alcuni dei suoi piatti preferiti: bucatini all'amatriciana, spaghetti alla carbonara, e vede

EX MATTATOIO

Cosrtuito alla fine dell'800, è uno dei più importanti edifici di archeologia industriale della città. Funziona come mattatoio fino al 1975 e nei primi anni del 2000 inizia il progetto di restauro. Oggi ospita spazi espositivi (due padiglioni sono del MACRO) e anche aule e uffici della Facoltà di Architettura di Roma Tre.

anche i rigatoni alla gricia, che non conosce.

– Come sono i rigatoni alla gricia? – domanda al cameriere.

– È come la pasta alla carbonara ma senza uovo. Quindi guanciale e pecorino. E pepe!

– Ah, buona. La provo. E tu mamma?

– Io prendo la carbonara. È tanto che non la mangio.

Anche loro ordinano il vino della casa, un rosso dei Castelli Romani, una zona vinicola vicino a Roma.

– Cosa facciamo domani? – domanda Franca.

– Beh, abbiamo prenotato la visita guidata ai Musei Vaticani e a San Pietro. Quindi la mattina andiamo lì. Nel pomeriggio... – Lucia non sa se proporre di continuare la ricerca di Angelica. La madre le sembra troppo delusa. Forse vuole gettare la spugna[17].

– Nel pomeriggio possiamo visitare il Colosseo. Poi prendiamo le valigie in albergo e partiamo.

Lucia non insiste. Poi con la scusa di andare in bagno si avvicina al cameriere.

Guanciale e pecorino

Il guanciale (taglio di carne ricavato dalla guancia del maiale, simile alla pancetta) e il pecorino romano (formaggio di pecora stagionato) sono due ingredienti tipici dei primi piatti romani. Sono presenti tutti e due nella carbonara, nell'amatriciana e nella gricia. In cacio e pepe, altro primo classico della cucina romana, troviamo solo il pecorino.

– Mi scusi, oggi è il compleanno di mia madre. Voglio farle una piccola sorpresa. Avete delle candeline per la torta?

– Certo, signora. Che torta preferisce?

Lucia guarda il carrello dei dolci. Ci sono crostate di ricotta e crostate con la marmellata, e il dolce preferito di Franca...

– Un tiramisù! – dice con entusiasmo. – Due porzioni, per favore.

Qualche minuto dopo nel ristorante si spengono[18] le luci e arriva il cameriere con il tiramisù con sei candeline. Tutto il ristorante inizia a cantare insieme a Lucia e al cameriere:

– Tanti auguri a te, tanti auguri a te, tanti auguri a...

– ...Franca... – canta a gran voce Lucia.

– Tanti auguri a te!

Tutti battono le mani mentre Franca soffia[19] sulle candeline. Le luci nel ristorante si accendono[20] di nuovo. Il cameriere scatta una foto a Franca e Lucia.

ATTIVITÀ *Giorno 2 seconda parte*

1

Indica quali delle seguenti affermazioni sono presenti nel testo.

1. La madre di Angelica non è alla casa di riposo perché à andata alle terme. ☐
2. Al guardiano della casa di riposo piace il calcio. ☐
3. Franca e Lucia fanno una visita guidata all'ex Mattatoio. ☐
4. Franca e Lucia cenano in un locale tipico. ☐
5. Franca e Lucia non vogliono l'antipasto. ☐
6. Franca non ama i dolci, mangia solo il tiramisù. ☐

2

Segna con una X quali frasi dice il cameriere e quali dicono i clienti.

	cameriere	clienti
Avete vino della casa?		
Come dessert abbiamo panna cotta.		
Avete già deciso?		
Niente primo, prendo antipasto e secondo.		
Il piatto del giorno è il pollo ai peperoni.		
Anche dell'acqua minerale, per favore.		
Come sono i carciofi alla giudia?		
E da bere cosa prendete?		
Porto subito il pane.		
Anch'io prendo le patate al forno.		

Abbina le immagini al nome del piatto corrispondente.
Poi inserisci i piatti nel menù.

- ☐ patate al forno
- ☐ pollo ai peperoni e olive
- ☐ bruschette miste
- ☐ spaghetti cacio e pepe
- ☐ insalata caprese
- ☐ torta ricotta e cioccolato
- ☐ straccetti con rucola e pomodorini
- ☐ carciofi alla romana
- ☐ pasta e ceci

Antipasti: ....

Primi: ....

Secondi: ....

Contorni: ....

Dessert: ....

MANGIARE E BERE

Roma ha una grandissima offerta gastronomica, oltre a ristoranti, pizzerie e trattorie, una bella alternativa per mangiare sono le enoteche. Qui si può prendere un bicchiere di vino accompagnato da salumi e formaggi. O anche piatti caldi. Ci sono vini del Lazio – la regione di Roma – ma anche di tutta Italia e del resto del mondo.

APPUNTI **CULTURALI**

1

La cucina romana è una cucina povera, contadina, basata soprattutto su prodotti agricoli come verdura, pasta, formaggi con latte di pecora (il pecorino) e carne, soprattutto quella di maiale e di agnello.

1 Oltre ai famosi primi piatti (carbonara, amatriciana, gricia, cacio e pepe), a Roma tra le ricette più tipiche ci sono il pollo con i peperoni, che si mangia a Ferragosto (il 15 di agosto), i saltimbocca alla romana, e l'abbacchio "scottadito" (foto), costolette caldissime da mangiare con le dita... che scottano!

2

2 La cucina "giudaico-romanesca", la cucina ebraica di Roma, è un'interessante fusione di tradizioni ebraiche, romane e di altre zone geografiche (molti ebrei di Roma venivano da altre parti del mondo). I ristoranti più tipici sono nel Ghetto, attorno a Portico d'Ottavia. Tra i piatti più famosi: carciofi alla giudia (foto), il brodo di pesce e i filetti di baccalà fritti.

3

3 La cucina romana soddisfa anche i vegetariani: sono numerosi i piatti tradizionali con i legumi, come pasta e ceci e pasta e fagioli. E c'è anche una buona varietà di verdure molto saporite, come la cicoria, il carciofo romanesco, la zucchina romanesca (foto) e le puntarelle.

Dizionario visivo *Giorno 3*

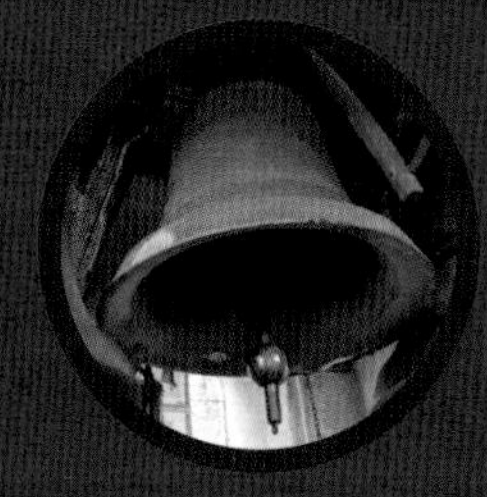

campana

cassa

libro

indicare

guida

fila

colonnato

dipinto

scaffale

libreria

banco

Giorno 3

Il giorno dopo arrivano già prima delle nove per fare la visita guidata. Ci sono già molte persone in fila per visitare i Musei Vaticani. Franca e Lucia hanno il voucher perché hanno acquistato il biglietto online, così vanno direttamente al controllo di sicurezza. Passano per il metal detector e poi, alla cassa numero 15, mostrano il voucher. La guida del museo attende il suo gruppo. Con loro ci sono turisti da tutta Italia. Vicino ci sono altre guide che parlano inglese, spagnolo e tedesco e turisti da tanti altri paesi ancora.

Franca indossa[1] una bella camicia azzurra con le maniche lunghe. È un regalo di compleanno di Lucia. Lo ha ricevuto proprio questa mattina a colazione[2] ed è molto felice.

– Benvenuti ai Musei Vaticani. La nostra visita dura tre ore. Iniziamo con le sale principali dei musei e ovviamente la Cappella Sistina. Finita la visita dei musei, andiamo alla Basilica di San Pietro. I Musei Vaticani sono stati fondati[3] da Papa Giulio II nel XVI

Musei Vaticani

I Musei Vaticani sono un insieme di musei e collezioni. Solo nella Pinacoteca Vaticana ci sono 460 dipinti. La collezione comprende alcuni dei grandi artisti della pittura italiana come Beato Angelico, Giotto, il Perugino, Raffaello, Leonardo e Caravaggio.

secolo, sono quindi molto antichi. Sono una delle collezioni d'arte più grandi al mondo. All'interno ci sono le opere d'arte che i papi hanno acquisito nei secoli.

Franca e Lucia seguono la guida e gli altri visitatori. I dipinti alle pareti sono moltissimi e sono molto felici di fare una visita guidata perché la guida spiega molte curiosità[4] sui dipinti e sui papi.

– Altro che tre ore! Serve almeno un mese per vedere tutti questi dipinti! – Lucia sussurra a sua madre.

La Cappella Sistina in particolare le lascia a bocca aperta[5].

– È incredibile! – esclamano insieme.

Anche la Basilica di San Pietro è bellissima e la guida racconta sempre molti aneddoti[6] curiosi.

– Sai cosa ho capito dopo questa vacanza[7]? – domanda Franca mentre camminano all'interno di San Pietro.

– Che cosa?

– Devo visitare più mostre[8], più musei. Deve diventare una buona abitudine[9].

Cappella Sistina

È conosciuta al mondo per gli straordinari affreschi di Michelangelo, che ricoprono la volta e la parete sopra all'altare. I più celebri sono il *Giudizio Universale* e la *Creazione di Adamo*. La cappella è famosa anche perché qui si celebra il conclave, l'elezione del papa.

– Hai ragione. Dobbiamo prenderci tempo per i nostri interessi e i nostri hobby. Io, ad esempio, voglio ricominciare a suonare la chitarra[10]. – risponde Lucia.

– Bravissima! È un'ottima idea.

– E poi voglio leggere di più. Tu, mamma, sì che sei una gran lettrice!

– È vero, leggere è la mia passione.

– A proposito, mi parli sempre di una libreria qui a Roma...

– La libreria Tara, sì. Hanno libri di ogni tipo. Ci andavo sempre da ragazza. Anche con Angelica...

– Ho un'idea. Andiamo lì quando è finita la visita.

– Sì! Perché no?

La libreria Tara è tra Campo de' Fiori e piazza Navona. Possono prendere l'autobus 64, ma Franca vuole evitarlo perché è famoso per essere pieno di borseggiatori[11].

Mentre escono sono le dodici e suonano le campane di San Pietro. Dalla piazza Lucia e Franca ammirano ancora la basilica e

Castel Sant'Angelo

La vita di questo momunento è strettamente legata a quella di Roma: nasce nel II sec. come sepolcro dell'Imperatore Adriano, diventa poi *castellum* (edificio per la difesa della città), residenza e rifugio dei papi, e anche prigione. Qui è ambientato il drammatico finale della Tosca di Puccini. Oggi è sede del Museo Nazionale di Castel Sant'Angelo.

il colonnato di Bernini. Percorrono via della Conciliazione e passano vicino a Castel Sant'Angelo. Si fermano solo per fare un'ultima foto con San Pietro sullo sfondo, poi attraversano il Tevere. Percorrono corso Vittorio Emanuele II e dopo circa venti minuti arrivano all'altezza di Campo de' Fiori. Dalla strada intravedono[12] i venditori che smontano[13] i banchi del mercato sulla piazza. Ma non è lì che vanno. Si fermano prima, girano a sinistra e arrivano davanti alla libreria.

– Non è cambiata! – esclama Franca. La cosa la rincuora[14]. Ed è ancora più felice quando riconosce[15] il signor Cesare.

– Signor Cesare, buongiorno. – saluta Franca emozionata – Si ricorda di me?

L'uomo la guarda in silenzio, guarda Lucia e poi guarda di nuovo Franca.

– Ma tu... sei Franca! Non ci posso credere! Sei proprio tu? Che bella sorpresa! Non ti vedo da anni! E lei deve essere tua figlia perché ti somiglia tantissimo!

Campo de' Fiori

Dal 1869 tutte le mattine ospita uno dei mercati più antichi della città. In passato è stato anche sede di esecuzioni pubbliche, come quella di Giordano Bruno, condannato per eresia e ricordato con una statua proprio al centro della piazza. La sera Campo de' fiori si anima per i numerosi locali che offrono l'aperitivo.

Franca gli racconta della sua vita a Bari, del matrimonio e del lavoro, di sua figlia. Lucia intanto guarda la madre, così felice, ma è anche incuriosita dai tanti libri sugli scaffali. La libreria è stretta e lunga e ci sono libri dappertutto[16], dal pavimento fino al soffitto: filosofia, teatro, letteratura italiana e straniera... ed ecco i libri di cucina! Lucia li sfoglia[17], curiosa. Alcune sono edizioni molto vecchie, senza foto, solo con alcune illustrazioni.

– Ma dimmi, come ti posso aiutare? – chiede intanto il signor Cesare. – Cerchi un libro in particolare?

Franca sta per rispondere, ma Lucia è molto più veloce.

– Veramente non cerchiamo un libro. Siamo qui perché cerchiamo Angelica, la vecchia amica di mia mamma.

Lucia capisce che Franca, che è diventata tutta rossa[18], vuole dire qualcosa e allora continua velocemente.

– Viene ancora qui?

– Certo! La vedo spesso.

– Che bella notizia! – Poi si gira verso sua madre – Visto mamma? Chi la dura la vince!

Franca sorride adesso.

– E per caso ha il suo numero di telefono?

– Numero di telefono, indirizzo email, indirizzo di casa... – Il signor Cesare si interrompe, guarda verso l'entrata e poi sorride.

– Ma non ne avete bisogno. – conclude infine entusiasta.

– Non capisco... – dice Franca confusa.

Il signor Cesare indica la porta del negozio. Lucia vede entrare una donna e la riconosce subito: si ricorda bene delle foto nei vecchi album di fotografie di sua madre.

Franca e Angelica non dicono nulla. Restano immobili[19] qualche secondo, in silenzio. Anche il signor Cesare e Lucia non dicono nulla. Poi le due amiche si vengono incontro[20] e si abbracciano. Restano così a lungo, e intanto Lucia prende il cellulare e scatta una foto per ricordare questo momento. È emozionata e felice. Questo è il più bel regalo per sua madre.

ATTIVITÀ *Giorno 3*

1

Indica l'opzione corretta per completare le frasi.

1. Franca e Lucia ai Musei Vaticani:
   - **a.** non fanno il controllo di sicurezza perché hanno già comprato il biglietto. ☐
   - **b.** non fanno la fila perché hanno già comprato il biglietto. ☐

2. La guida dei Musei Vaticani:
   - **a.** racconta e spiega tante cose interessanti. ☐
   - **b.** parla anche in inglese, spagnolo e tedesco. ☐

3. Dopo la visita alla Basilica di San Pietro:
   - **a.** vogliono andare a piedi fino alla libreria. ☐
   - **b.** vogliono andare a piedi a piazza Navona e Campo de' fiori. ☐

4. Il signor Cesare:
   - **a.** riconosce Lucia ma non Franca. ☐
   - **b.** lavora nella libreria da tanti anni. ☐

2

Di chi sono questi pensieri? Scrivi Franca, Lucia o Angelica accanto a ogni frase.

1. "Finalmente si sono ritrovate!" ....
2. "Che sorpresa magnifica!" ....
3. "Ti ho cercata tanto, cara amica!" ....
4. "Il mio regalo ha avuto successo!" ....
5. "Questo è il vero regalo per me!" ....
6. Sono venuta per un libro, e ho ritrovato la mia amica!" ....

Inserisci le seguenti frasi per completare il testo.

1 ha trasformato completamente l'idea "effetto sorpresa"

2 è stata distrutta una parte

3 è stata progettata durante il fascismo

Via della Conciliazione è la strada che porta da largo Giovanni XXIII a piazza San Pietro. ☐ per creare un asse che arriva direttamente da Castel Sant'Angelo alla basilica. Per costruire via della Conciliazione, ☐ del rione Borgo. Il progetto fascista ☐ di Gian Lorenzo Bernini: passare per le piccole stradine di Borgo e arrivare nella grandiosa piazza.

4

Scegli l'opzione di completamento corretta.

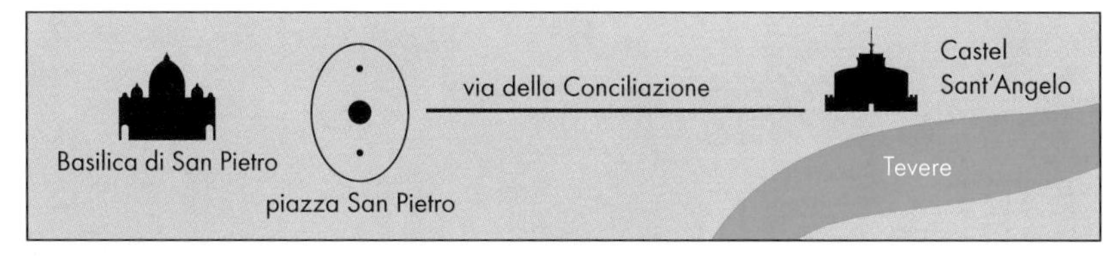

1. Piazza San Pietro è **davanti alla/dietro la** basilica.

2. Castel Sant'Angelo è **vicino a/accanto a** San Pietro.

3. Il fiume Tevere è **di fronte a/sopra** Castel Sant'Angelo.

4. Via della Conciliazione è **tra/in mezzo a** piazza San Pietro e Castel Sant'Angelo.

A SPASSO PER ROMA

Chi è attirato dall'arte e dalla cultura a Roma non rimane mai deluso, l'offerta è vasta e variata: musei, gallerie d'arte, scavi archeologici, piazze, ponti, chiese, parchi e tanto altro.

APPUNTI **CULTURALI**

Per chi ama visitare musei e gallerie d'arte, a Roma c'è l'imbarazzo della scelta: Musei Capitolini, Galleria Colonna, Galleria Spada, MAXXI, Palazzo delle Esposizioni, sono solo alcuni esempi. E per chi ama stare all'aperto, ci sono tante altre possibilità.

1 Le piazze di Roma sono ricchissime di storia e arte, ma sono anche luoghi di ritrovo. Tra le più celebri e suggestive ci sono piazza del Campidoglio (foto), disegnata da Michelangelo, piazza Farnese, con il bellissimo Palazzo Farnese, piazza Santa Maria in Trastevere, con l'omonima chiesa, piazza della Rotonda, dove troviamo il Pantheon, piazza Venezia, con l'imponente Altare della Patria.

2 La più celebre è la bellissima Fontana di Trevi (foto), diventata una delle icone della città grazie alla famosa scena del film *La dolce vita*. Ma ci sono tante altre splendide fontane da scoprire e ammirare: le fontane di piazza Navona, la Fontana del Tritone, la Fontana delle Naiadi, la Fontana delle Tartarughe, la Fontana dei Cavalli marini, per esempio.

3 Roma è una città ricca di parchi, l'opzione perfetta per chi ama il verde. Oltre a Villa Borghese, i più famosi sono Villa Torlonia, con la celebre Casina delle Civette, Villa Doria Pamphili, il parco più grande della città, il Giardino degli Aranci, con una bella terrazza su Roma. Fuori dal centro storico, ci sono il Parco dell'Appia Antica, vicino alle catacombe, e il Parco degli Acquedotti (foto), in periferia, entrambi parchi archeologici.

GIORNO 1				
ITALIANO	**INGLESE**	**FRANCESE**	**TEDESCO**	**NEERLANDESE**
1. riposarsi	to rest	se reposer	ausruhen	uitrusten
2. sedersi	to sit down	s'asseoir	sich setzen	gaan zitten
3. laurearsi	to graduate	obtenir un diplôme	eine Diplomprüfung ablegen	afstuderen
4. compleanno	birthday	anniversaire	Geburtstag	verjaardag
5. maturità	High school diploma	Diplôme de baccalauréat/maturité	Abitur/Matura/Reifeprüfung	Middelbare schooldiploma
6. ricordi	memories	souvenirs	Erinnerungen	herinneringen
7. gioventù	youth	jeunesse	Jugend(zeit)	jeugd
8. assomigliarsi	to look alike	se ressembler	sich ähneln	op elkaar lijken
9. chiacchierare	to chat	discuter	plaudern	kletsen
10. liceo	secondary school	lycée	Gymnasium	middelbare school
11. perdersi di vista	to lose contact	perdre le contact	den kontakt verlieren	het contact verliezen
12. sorridere	to smile	sourire	lächeln	glimlachen
13. scoppiare a ridere	to start laughing	se mettre à rire	anfangen, zu lachen	in lachen uitbarsten
14. scalinata	stairs	escalier	Treppe	trap
15. spazientito/a	impatient	impatient, e	ungeduldig	ongeduldig
16. preoccupato/a	worried	préoccupé, e	besorgt	bezorgd
17. Ma figurati!	as if	mais comment	wie	hoezo
18. avere/sentire il cuore in gola	to have your heart in your mouth	avoir le cœur serré	das Herz schlägt bis zum Hals	het hart klopt in zijn/haar keel
19. sbagliarsi	mistaken	faire erreur	sich irren	vergissen
20. essere un fiasco	to be a total failure	être un fiasco	ein Fiasko sein	een mislukking zijn

GIORNO 2 - I				
ITALIANO	**INGLESE**	**FRANCESE**	**TEDESCO**	**NEERLANDESE**
1. fermata	stop/station	arrêt	Haltestelle	station
2. affaticato/a	tired	fatigué, e	müde	moe
3. centrale elettrica	power station	centrale électrique	Kraftwerk	elektriciteitscentrale
4. quartiere	neighbourhood	quartier	Stadtteil	wijk
5. pensieroso/a	pensive	pensif, -ive	nachdenklich	peinzend
6. cercare	to look for	rechercher	suchen	zoeken
7. chi la dura la vince	slow and steady wins the race	la persévérance est la clé de la réussite	Geduld überwindet alles	de volhouder wint
8. sepolto/a	buried	enterré, e	begraben	begraven
9. chiedere indicazioni	to ask for directions	demander son chemin	Nach der Richtung fragen	de weg vragen
10. avvicinarsi	to approach	se rapprocher	sich nähern	dichterbij komen
11. seguire	to follow	poursuivre	folgen	volgen
12. facciata	façade	façade	Fassade	voorgevel
13. disegno	design	design	Design	ontwerp
14. avere paura	to be scared	avoir peur	Angst haben	bang zijn
15. piano	floor	étage	Stockwerk	etage
16. bucato	washing	linge	Wäsche	was
17. diffidenza	distrust	méfiance	Misstrauen	wantrouwen
18. casa di riposo	old people's home	résidence pour personnes âgées	Altersheim	bejaardentehuis
19. parlare del più e del meno	to natter	parler de tout et de rien	Quatschen	over koetjes en kalfjes praten
20. mattatoio	abattoir	abattoir	Schlachthof	slachthuis

GIORNO 2 - II

ITALIANO	INGLESE	FRANCESE	TEDESCO	NEERLANDESE
1. incamminarsi	to set off	se mettre en route	Sich in Bewegung setzen	aan de slag gaan
2. partita	match	match	Spiel	wedstrijd
3. accorgersi	to realise	se rendre compte	bemerken	opmerken
4. urlare	to shout	crier	brüllen	schreeuwen
5. all'improvviso	suddenly	soudain	plötzlich	plotseling
6. spavento	fright	effroi	Schreck	schrik
7. terme	spa	station balnéaire	Kurbad	wellnesscentrum
8. giocare	to play	jouer	spielen	spelen
9. squadra del cuore	lifelong team	équipe préférée	Lieblingsteam	het team waar iemand groot fan van is
10. sconsolato/a	disheartened	découragé, e	entmutigt	neerslachtig
11. trappola per turisti	tourist trap	attrape-touristes	Touristenfalle	valkuil voor toeristen
12. avere fame	to be hungry	avoir faim	Hunger haben	honger hebben
13. tirare su il morale	to cheer up	remonter le moral	aufmuntern	opvrolijken
14. vino della casa	house wine	vin de la maison	Wein des Hauses	wijn van het huis
15. angolo	corner	coin	Ecke	hoek
16. ordinazione	to order	demander	Bestellen	bestellen
17. gettare la spugna	to throw in the towel	abandonner	das Handtuch werfen	de handdoek in de ring gooien
18. spegnere	to turn off	s'éteindre	ausmachen	uitdoen
19. soffiare	to blow out	souffler	pusten	uitblazen
20. accendere	to turn on	s'allumer	anmachen	aangaan

GIORNO 3

ITALIANO	INGLESE	FRANCESE	TEDESCO	NEERLANDESE
1. indossare	to put on	se mettre	anziehen	aantrekken
2. colazione	breakfast	petit-déjeuner	Frühstück	ontbijt
3. fondare	founded	fondé, e	gegründet	opgericht
4. curiosità	interesting fact	curiosité	merkwürdige Fakten	bijzonderheid
5. lasciare a bocca aperta	to be astounded	laisser bouche bée	ins Staunen versetzen	met open mond laten staan
6. aneddoto	anecdote	anecdote	Anekdote	anekdote
7. vacanza	holidays	vacances	Urlaub	vakantie
8. mostra	exhibition	exposition	Ausstellung	expositie
9. abitudine	habit	coutume	Angewohnheit	gewoonte
10. suonare la chitarra	to play the guitar	jouer de la guitare	Gitarre spielen	gitaar spelen
11. borseggiatore	pickpocket	pickpocket	Taschendieb	zakkenroller
12. intravedere	to glimpse	entrevoir	zusehen	ontwaren
13. smontare	to dismantle	démonter	abbauen	afbreken
14. rincuorare	to lift your mood	remonter le moral	wieder in Stimmung bringen	weer vrolijk worden
15. riconoscere	to recognise	reconnaître	wiedererkennen	herkennen
16. dappertutto	all over the place	partout	Überall	overal
17. sfogliare	to leaf through	feuilleter	Durchblättern	bladeren
18. diventare rosso/a	to blush	devenir tout rouge	Rot anlaufen	rood worden
19. restare immobile	to freeze	demeurer immobile	stehenbleiben	als verlamd stil blijven staan
20. venirsi incontro	to meet	venir à sa rencontre	zusammentreffen	ontmoeten

La città eterna

p. 16-17

The Eternal City

Founded, according to legend, on 21 April 753 BC, Rome was the first metropolis the world had ever seen and the capital of the Roman Empire. Since 1871 it has been the capital of Italy. These days it has three million inhabitants, although with the addition of tourists, workers, students, Vatican residents and diplomats it can reach almost four million people. With around 15 million tourists visiting a year, it is without a doubt one of the most popular destinations among travellers.

The importance and amount of cultural heritage in Rome make it a unique, enthralling and majestic place. Its historic centre has over 25,000 points of interest. Strolling through its streets and squares will lead to the endless discovery of gems from different eras.

1 Ancient Rome is one of the most amazing attractions visited by countless tourists every year. The symbol of Imperial Rome is, without a doubt, the Colosseum, the largest and most important Roman amphitheatre, with a capacity of up to 75,000 spectators. Other important archaeological sites of Ancient Rome are the Imperial Forums, the Baths of Caracalla, the Baths of Diocletian, the Golden House of Nero, Palatine Hill and the Circus Maximus.

2 The city's classical soul lives alongside its Christian soul: in Rome there are over 900 churches from every era. There are four papal basilicas: St. John Lateran, Saint Mary Major, Saint Paul Outside the Walls and St Peter's Basilic in the Vatican, the largest and most famous, built over a period of more than 150 years. Michelangelo and Bernini also participated in the project, the former designing the great dome, and the latter the square with the magnificent colonnade.

3 The Baroque period bestowed Rome with a great deal of sculptures, paintings and architecture. In this period we seek the exaltation of the city and its grandeur. Piazza Navona is the Baroque square par excellence where you will find works by Bernini (Fountain of the Four Rivers) and Borromini (Sant'Agnese church), the maximum exponents of Roman Baroque.

La ville éternelle

Fondée, selon la légende, le 21 avril 753 av. J.-C., elle fut la première métropole de l'humanité et la capitale de l'Empire romain. Depuis 1871, elle est la capitale de l'Italie. Aujourd'hui, elle possède quasiment 3 millions d'habitants, bien que, entre les touristes, les travailleurs, les étudiants, les résidents du Vatican et les diplomates, ce chiffre atteint presque les 4 millions de personnes. Avec près de 15 millions de touristes par an, elle est sans aucun doute l'une des destinations les plus populaires parmi les voyageurs.

La valeur et la quantité de patrimoine culturel de Rome font de cette ville une ville unique, fascinante et majestueuse. Son centre historique possède plus de 25 000 sites intéressants. Se promener dans ses rues et sur ses places se transforme en une découverte constante de joyaux de différentes époques.

1 La Rome antique est l'une des attractions les plus impressionnantes, qui attire chaque année un très grand nombre de touristes. Le symbole de la Rome impériale est, sans aucun doute, le Colisée, le plus grand et le plus important amphithéâtre romain, capable d'accueillir jusqu'à 75 000 spectateurs. D'autres sites archéologiques importants de la Rome antique sont les Forums impériaux, les thermes de Caracalla, les thermes de Dioclétien, la *Domus Aurea*, le Palatin et le Cirque Maxime.

2 L'âme classique cohabite avec l'âme chrétienne : à Rome, il y a plus de 900 églises de toutes les époques. Il y a quatre basiliques majeures : Saint-Jean-de-Latran, Sainte-Marie-Majeure, Saint-Paul-hors-les-Murs et Saint-Pierre au Vatican, la plus grande et la plus connue, construite durant plus de 150 ans. Michel-Ange, qui dessina la grande coupole, et Bernini, qui construisit la place avec l'imposante colonnade, participèrent également à ce projet.

3 La période baroque donna à Rome de très nombreuses sculptures, peintures et œuvres architecturales. Au cours de cette période, on recherchait l'exaltation de la ville, de sa grandeur. La Piazza Navona est la place baroque par excellence. Ici, vous y trouverez des œuvres de Bernini (Fontaine des Quatre Fleuves) et de Borromini (église de Sainte-Agnès), les plus hauts représentants du baroque de Rome.

Die ewige Stadt

Die der Geschichtsschreibung nach am 21. April 753 v.Chr. gegründete Stadt war die erste Metropolis der Menschheit und die Hauptstadt des Römischen Reiches. Seit 1871 ist sie die Hauptstadt von Italien. Heute hat sie fast 3 Millionen Einwohner, wenn man aber Touristen, Arbeiter, Studenten und die Bewohner des Vatikans und Diplomaten mitzählt, sind es fast 4 Millionen Menschen. Mit etwa 15 Millionen Touristen pro Jahr handelt es sich zweifelsohne um eins der beliebtesten Reiseziele.

Der Wert und die Vielfalt des kulturellen Erbes von Rom machen sie zu einer einzigartigen, faszinierenden und imposanten Stadt. Ihre historische Altstadt zählt mit über 25.000 Sehenswürdigkeiten. Auf einem Spaziergang durch ihre Straßen und Plätze entdeckt man fortwährend Schmuckstücke verschiedener Epochen.

1 Das antike Rom ist eine der eindrucksvollsten Attraktionen, die jährlich unzählige Touristen anzieht. Das Symbol des kaiserlichen Roms ist ohne Zweifel das Kolosseum, das größte und bedeutendste Amphitheater Roms, in dem bis zu 75.000 Zuschauer Platz haben. Andere wichtige archäologische Ausgrabungsstätten des antiken Roms sind die Kaiserforen, die Caracalla-Thermen, die Diokletiansthermen, die Domus Aurea, der Palatin und der Circus Maximus.

2 Hier koexistiert die Klassik mit der christlichen Religion: in Rom befinden sich über 900 Kirchen aus allen Epochen. Es gibt 4 päpstliche Basilika: Die Lateranbasilika, Groß Sankt Marien, Sankt Paul vor den Mauern und der Petersdom im Vatikan, wobei letztgenannter die größte und berühmteste von allen ist; sie wurde in über 150 Jahren erbaut. An diesem Projekt beteiligten sich auch Michelangelo, der die Hauptkuppel entworfen hat und Bernini, der das Baldachin-Ziborium erbaute.

3 In der Barockzeit füllte sich Rom mit unzähligen bildhauerischen Werken, Gemälden und Architektur. In dieser Epoche drehte sich alles um die Glorifizierung der Stadt und ihrer Herrlichkeit. Die Piazza Navona ist ein barocker Platz par excellence, hier finden wir Werke von Bernini (Vierströmebrunnen) und Borromini (Kirche Sant'Agnese), die wichtigsten Vertreter des römischen Barocks.

De eeuwige stad

Volgens de overlevering is Rome opgericht op 21 april 753 voor Christus en het was de eerste metropool van de mensheid en de hoofdstad van het Romeinse Rijk. Sinds 1871 is het de hoofdstad van Italië. Vandaag de dag heeft het bijna 3 miljoen inwoners, hoewel het met toeristen, werknemers, studenten, inwoners van het Vaticaan en diplomaten bijna op 4 miljoen mensen uitkomt. Met ongeveer 15 miljoen toeristen per jaar is het ongetwijfeld een van de meest populaire bestemmingen onder reizigers.

De waarde en de omvang van het culturele erfgoed van Rome maken deze stad uniek, fascinerend en majestueus. Het historische centrum heeft meer dan 25.000 bezienswaardigheden. Wandelen door de straten en pleinen is een voortdurende ontdekking van schatten uit verschillende tijdperken.

1 Het oude Rome is een van de meest indrukwekkende bezienswaardigheden die elk jaar veel toeristen trekt. Het symbool van het keizerlijke Rome is ongetwijfeld het Colosseum, het grootste en belangrijkste Romeinse amfitheater, dat tot 75.000 toeschouwers kan huisvesten. Andere belangrijke archeologische vindplaatsen van het oude Rome zijn de Keizerlijke Fora, de Thermen van Caracalla, de Thermen van Diocletianus, de Domus Aurea, de Palatijn en het Circus Maximus.

2 In Rome bestaat de klassieke ziel naast de christelijke ziel: er zijn meer dan 900 kerken uit alle tijdperken. Er zijn vier pauselijke basilieken: Sint Jan van Lateralen, Basiliek van Santa Maria Maggiore, Sint Paulus buiten de muren en de Sint Pietersbasiliek in het Vaticaan, de grootste en beroemdste, die meer dan 150 jaar geleden werd gebouwd. Michelangelo, die de grote koepel ontwierp, en Bernini, die het plein met de imposante zuilengalerij bouwde, namen ook deel aan het project.

3 De barokperiode heeft Rome veel beeldhouwwerken, schilderijen en architectuur opgeleverd. Uit deze periode stamt de exaltatie van de stad, haar grandeur. Piazza Navona is het barokke plein bij uitstek. Hier vinden we werken van Bernini (Fontein van de Vier Rivieren) en Borromini (Kerk van St. Agnes), de grootste exponenten van de Romeinse barok.

Quartieri autentici p. 28-29

Authentic neighbourhoods

Rome spans a large area: 1,285 km^2. It is divided up into *rioni* (areas within the historic centre), *quartieri* (areas around the Aurelian Walls) and *suburbi* (other areas).

Rome, as the capital of the Roman Empire and then as the capital of Italy—and due to the presence of the Vatican—has always welcomed many foreigners and Italians from other parts of the country. It is an international metropolis that, nevertheless, has retained many typically Roman characteristics.

1 Defined as the *er core de Roma* (the heart of Rome), Trastevere is perhaps the most authentic *quartiere*. Ambling through its narrow streets, alleyways and squares is a pure delight. During the day, it is alive with the activity of craft shops, small business and markets; at night, the narrow streets and squares fill with Romans and tourists alike having drinks or dinner.

2 In Roman times, Testaccio was home to one of the most important ports in the city. In the late nineteenth century, due to urban restructuring, it became a workers' neighbourhood, which is how its working-class spirit came about. Over the years, Testaccio has managed to retain its simple, authentic and welcoming spirit.

3 Garbatella was founded in the 1920s as a working-class neighbourhood and boasts distinctive architecture: the architects that worked on its construction took inspiration from the layout of English garden cities to create their own style, *barocchetto romano*. Today it is still a 'neighbourhood for the people' characterised by its peaceful ambience and working-class spirit. The district is divided into *lotti*, areas that contain relatively low buildings, interior gardens and courtyards, which become meeting points in the everyday lives of locals.

Quartiers authentiques

Rome possède une très grande superficie : 1 285 km². Son territoire est divisé en *rioni* (zones du centre historique), *quartieri* (zones situées autour du mur d'Aurélien) et *suburbi* (autres zones).

Rome, en tant que capitale de l'Empire romain, puis en tant que capitale de l'Italie, et en raison de la présence du Vatican, a toujours accueilli de nombreux étrangers et Italiens provenant d'autres villes. Il s'agit d'une métropole internationale qui conserve néanmoins des aspects typiquement romains.

1 Défini comme « er core de Roma » (le cœur de Rome), Trastevere est probablement le *quartiere* le plus ancien. Il est très agréable de se perdre dans ses rues étroites, ses ruelles et sur ses places. Durant la journée, il est animé par le mouvement des passants dans les boutiques artisanales, dans les petits commerces et sur les marchés ; le soir, ses habitants et ses touristes emplissent ses rues étroites et ses places, pour y prendre l'apéritif, dîner ou prendre un verre.

2 À l'époque des Romains, Testaccio hébergeait l'un des ports les plus importants de la ville. À la fin du XIXe siècle, avec le réaménagement urbain, il devint un quartier de travailleurs. C'est de là que naquit son âme populaire. Au fil des ans, Testaccio a toujours su conserver son esprit authentique, simple et familier.

3 Garbatella fut fondé dans les années 1920 en tant que quartier populaire et possède une architecture très spéciale : les architectes qui travaillèrent à sa construction s'inspirèrent des structures des villes-jardins anglaises et créèrent un style particulier, le *barocchetto romano*. Il demeure actuellement un « quartier pour le peuple », caractérisé par son calme et son aspect populaire. Tout le district est divisé en *lotti*, zones qui contiennent des édifices assez bas, des cours et des jardins intérieurs, qui servent de lieux de rencontre quotidiens pour leurs habitants.

Authentische Stadtviertel

Rom hat eine große Ausdehnung von 1.285 km². Das Gebiet teilt sich in *rioni* (Zonen der Altstadt), *quartieri* (Zonen um die Aurelianische Mauer herum) und *suburbi* (andere Zonen).

Rom hat als Hauptstadt des Römischen Reichs und später als Hauptstadt Italiens, sowie aufgrund der Präsenz des Vatikans schon immer viele Ausländer und Italiener aus anderen Städten aufgenommen. Es ist eine internationale Metropole, die jedoch viele typische römische Aspekte bewahrt.

1 Trastevere wird als „er core de Roma" (das Herz Roms) beschrieben und ist wahrscheinlich der authentischste der *quartieri*. Es ist ein Vergnügen, in seinen engen Straßen, Gassen und Plätzen herumzulaufen. Tagsüber ist er belebt durch das Treiben in Kunsthandwerkläden, kleinen Geschäften und Märkten; nachts füllen sich die engen Straßen und Plätze mit Romani und Touristen, die einen Aperitif, das Abendessen, oder ein Glas Wein genießen.

2 In der Römerzeit beherbergte Testaccio einen der wichtigsten Häfen der Stadt. Gegen Ende des 19. Jahrhunderts verwandelte er sich im Zuge der

Industrialisierung in ein Arbeiterviertel. So entstand seine volkstümliche Seele. Über die Jahre hinweg hat Testaccio stets seinen ursprünglichen, einfachen und familiären Charakter bewahrt.

3 Garbatella wurde in den 20er Jahren als Arbeiterbezirk gegründet und zeichnet sich durch eine sehr spezielle Architektur aus: Die beteiligten Architekten inspirierten sich in der Struktur der englischen Gärten und erschufen so einen eigenen Stil, den *barochetto romano*. Auch heute ist es ein ruhiges, einfaches „Stadtviertel für das Volk". Das Viertel teilt sich in lotti, Gebiete mit nicht sehr hohen Gebäuden, Innenhöfen und Gärten, die die alltäglichen Treffpunkte der Anwohner sind.

Authentieke buurten

Rome is zeer uitgestrekt: 1.285 km^2. Het grondgebied is verdeeld in *rioni* (gebieden rond de oude stad), *quartieri* (gebieden rond de Aureliaanse muren) en *suburbi* (andere gebieden).

Rome heeft als hoofdstad van het Romeinse Rijk en daarna als hoofdstad van Italië en vanwege het Vaticaan, altijd veel buitenlanders en Italianen uit andere steden verwelkomd. Het is een internationale metropool die echter veel typisch Romeinse aspecten heeft behouden.

1 Trastevere, gedefinieerd als "er core de Roma" (het hart van Rome) is waarschijnlijk de meest authentieke *quartieri*. Het is een genoegen om te verdwalen in de smalle straatjes, steegjes en pleinen. Overdag is het levendig vanwege de ambachtelijke winkels, kleine winkels en markten; 's nachts staan de smalle straatjes en pleinen vol met Romeinen en toeristen die een aperitief, diner of een drankje nuttigen.

2 In de Romeinse tijd herbergde Testaccio een van de belangrijkste havens van de stad. Aan het einde van de 19e eeuw, met de stedelijke reorganisatie, werd het een wijk van arbeiders. Zo werd haar volksgeest geboren. Door de jaren heen heeft Testaccio altijd haar echte, eenvoudige en vertrouwde aard behouden.

3 Garbatella werd in de jaren 1920 gesticht als volksbuurt en heeft een zeer bijzondere architectuur: de architecten die aan de bouw ervan werkten, werden geïnspireerd door de structuur van de Engelse tuinsteden en creëerden een bijzondere stijl, de barocchetto romano of Romeinse barok. Ook vandaag de dag is het nog steeds een "volkswijk", gekenmerkt door rust en een volks karakter. De hele wijk is verdeeld in lotti, gebieden met weinig hoge gebouwen, binnenplaatsen en binnentuinen, die ontmoetingsplaatsen zijn geworden in het dagelijks leven van de bevolking.

Mangiare e bere p. 38-39

Eating and drinking

Rome is a great place to eat. In addition to restaurants and pizzerias, a great alternative are enotecas, where you can have a glass of wine with charcuterie and cheese or even hot dishes. You will find wine from Lazio—the region in which Rome is situated—but also from other parts of Italy and the rest of the world.

Roman food is rural, peasant food, primarily based on farm produce such as vegetables, pasta, cheese made with sheep's milk (pecorino) and meat, especially pork and lamb.

1 In addition to the famous *primi piatti* (carbonara, amatriciana, pasta alla gricia or cacio e pepe), in Rome the most traditional dishes include chicken with peppers, which is eaten on 15 August, *saltimbocca alla romana*, slices of veal cooked with ham and sage, and abbacchio *'scottadito'*, cutlets fresh off the grill that must be eaten with your hands. Just be careful you don't burn your fingers!

2 Roman-Jewish cuisine is an interesting fusion of Jewish and Roman traditions and those of other geographical regions (many Roman Jews came from other parts of the world). The most traditional restaurants are found in the Jewish Ghetto, around the Porticus Octaviae. Among the most famous dishes are Jewish-style artichokes, fish soup and fried fish filets.

3 Roman food also caters to vegetarians: there are countless traditional dishes made with pulses, for example, as well as pasta with chickpeas or beans. It also uses a wide variety of delicious vegetables, such as chicory, Roman artichokes, Roman courgettes and *puntarelle*, a variant of chicory.

Manger et boire

Rome possède une grande offre gastronomique : outre les restaurants et les pizzerias, les œnothèques constituent une bonne alternative pour manger. Ici, il est possible de prendre un verre de vin accompagné de charcuterie et de fromage, voire de plats chauds. Il y a des vins du Latium – la région dans laquelle Rome se trouve – mais il y a aussi d'autres zones d'Italie et du reste du monde.

La cuisine romaine est une cuisine pauvre et paysanne, dont les principaux ingrédients sont des produits agricoles tels que des légumes, des pâtes, du fromage élaboré à base de lait de brebis (*pecorino*) et de la viande, plus particulièrement de porc et d'agneau.

1 Outre les fameux primi piatti (*carbonara, amatriciana, gricia* ou *cacio e pepe*), à Rome, parmi les recettes les plus typiques, se trouvent le poulet aux poivrons, qui se mange le 15 août, la *saltimbocca alla romana* (tranches de veau cuites avec du jambon et de la sauge), et l'*abbacchio « scottadito »*, des côtelettes juste sorties du feu pour les manger avec les doigts... Faites attention à ne pas vous brûler !

2 La cuisine « judéo-romane », la cuisine juive de Rome, est une intéressante fusion des traditions juives, romanes et d'autres traditions géographiques (de nombreux Juifs de Rome provenaient d'autres parties du monde). Les restaurants les plus typiques se trouvent dans le Ghetto, autour du portique d'Octavie. Parmi les plats les plus fameux, se trouvent les artichauts *a la giudia* (au style juif), le bouillon de poisson et les filets de morue frits.

3 La cuisine romane satisfait également les végétariens : il y a de nombreux plats traditionnels à base de légumes secs, par exemple, les pâtes aux pois chiches et les pâtes aux haricots secs. Il existe aussi une grande variété de légumes très savoureux, comme les endives, l'artichaut romain, la courgette romaine et le *puntarelle* (une variété de chicorée).

Essen und Trinken

Rom bietet ein reiches gastronomisches Angebot, neben Restaurants und Pizzerias stellen die Weinstuben eine gute Alternative zum Essen dar. Hier kann man ein Glas Wein begleitet von Aufschnitt und Käse und sogar warme Gerichte genießen. Es gibt Weine des Latium –die Region, in der Rom liegt– aber auch aus anderen Regionen Italiens und dem Rest der Welt.

Die römische Küche ist eine einfache und bäuerliche Küche, die hauptsächlich auf landwirtschaftlichen Erzeugnissen wie Gemüse, Nudeln, Käse aus Schafsmilch (Pecorino) und Fleisch, insbesondere Schwein und Lamm, besteht.

1 Neben den berühmten primi piatti (carbonara, amatriciana, gricia oder cacio e pepe) zählen in Rom zu den typischsten Gerichten Hähnchen mit Paprika, das am 15. August gegessen wird, der *saltimbocca alla romana*, Gebratene Kalbsschnitzel mit Schinken und Salbei, und die *abbacchio "scottadito"*, frisch gebratene Rippchen, die man mit der Hand isst... Vorsicht, sie sind sehr heiß!

2 Die „jüdisch-römische" Küche, die jüdische Küche Roms, ist eine interessante Fusion aus jüdischen, römischen und anderen geografischen Traditionen (viele in Rom ansässige Juden stammten aus anderen Teilen der Welt). Die typischsten Restaurants befinden sich im Ghetto in der Nähe der Portikus der Octavia. Zu den berühmtesten Speisen zählen: Artischocken nach jüdischer Art, Fischbrühe und gebratene Kabeljaufilets.

3 Die römische Küche hat auch ein Herz für Vegetarier: Es gibt viele traditionelle Gerichte mit Hülsenfrüchten, zum Beispiel Nudeln mit Kichererbsen oder Nudeln mit Bohnen. Des Weiteren steht eine große Vielfalt an schmackhaftem Gemüse zur Verfügung, wie Endivien, römische Artischocken, römische Zucchini und *puntarelle*, eine Chicorée-Varietät.

Eten en drinken

Rome heeft een geweldig gastronomisch aanbod, naast restaurants en pizzeria's, zijn enotheken een goed alternatief om uit eten te gaan. Hier kunt u een glas wijn met worst en kaas of zelfs warme gerechten nuttigen. Er zijn wijnen uit Lazio, de regio waarin Rome ligt, maar ook uit andere delen van Italië en de rest van de wereld.

De Romeinse keuken is een eenvoudige boerenkeuken, voornamelijk gebaseerd op landbouwproducten zoals groenten, pasta, kaas gemaakt van schapenmelk (pecorino) en vlees, vooral varkens- en lamsvlees.

1 Naast de beroemde *primi piatti* (carbonara, amatriciana, gricia en cacio e pepe) vindt u in Rome traditionele gerechten als kip met paprika's, een gerecht dat op 15 augustus gegeten wordt, *saltimbocca alla romana* (plakjes gekookt kalfsvlees met ham en salie) en *abbacchio "scottadito"*, koteletten vers van het vuur die met de handen gegeten worden... Pas op, het is heet!

2 De keuken *giudaico-romanesca*, de Joodse keuken van Rome, is een interessante samensmelting van Joodse en Romeinse tradities en die van andere geografische regio's (veel Joden uit Rome komen uit andere delen van de wereld). De meest traditionele restaurants bevinden zich in de Joodse wijk, vlakbij de Porticus van Octavia. Een paar van de bekendste gerechten: artisjokken *a la giudia* (op Joodse wijze), visbouillon en gebakken kabeljauwfilets.

3 De Romeinse keuken voldoet ook aan de wensen van vegetariërs: er zijn veel traditionele gerechten met peulvruchten, zoals pasta en kikkererwten en pasta en bonen. Er is ook een grote verscheidenheid aan zeer smakelijke groenten, zoals andijvie, Romeinse artisjok, Romeinse courgette en *puntarelle* (een variant van cichorei).

A spasso per Roma

p. 50-51

Walking in Rome

Art and culture lovers will not be disappointed by Rome, where the options are extensive and varied: museums, art galleries, archaeological excavations, squares, bridges, churches, parks and much more.

Rome is full of options for fans of museums and art galleries: the Capitoline Museums, Galleria Colonna, Galleria Spada, MAXXI and the Palazzo delle Esposizioni, are just a few examples. Those who like the outdoors are similarly catered for.

1 Rome's squares are brimming with art and history as well as being important meeting places. Among the most famous and charming are Piazza del Campidoglio, designed by Michelangelo, Piazza Farnese, which is home to the beautiful Palazzo Farnese, Piazza Santa Maria in Trastevere, home to the church of the same name, Piazza della Rotonda, where the Pantheon is located, and Piazza Venezia, the site of the magnificent Altare della Patria.

2 The most famous of all is the beautiful Fontana di Trevi, which became one of the icons of the city thanks to the famous scene from the film *La dolce vita*. However, there are many other magnificent fountains to discover and admire: the fountains of Piazza Navona, Fontana del Tritone, Fontana delle Naiadi, Fontana delle Tartarughe and Fontana dei Cavalli Marini, for example.

3 Rome is full of parks, the perfect option for nature lovers. In addition to Villa Borghese, the most famous are Villa Torlonia, where the famous Casina delle Civette is located, Villa Doria Pamphili, the city's largest park, and Giardino degli Aranci, which boasts a beautiful terrace with views of Rome. Outside of the historic centre, the Parco dell'Appia Antica, close to the catacombs, and the Parco degli Acquedotti, on the outskirts, are both archaeological parks.

Se promener dans Rome

Rome ne décevra pas les passionnés d'art et de culture. Son offre est large et variée : des musées, des galeries d'art, des sites archéologiques, des places, des ponts, des églises, des parcs et bien plus encore.

Pour les amateurs de musées et de galeries d'art, Rome dispose de nombreuses options : les musées du Capitole, la Galleria Colonna, la Galleria Spada, MAXXI ou le Palazzo delle Esposizioni, n'en sont que quelques exemples. Et pour ceux qui aiment être à l'air libre, il y a de nombreuses autres possibilités.

1 Les places de Rome sont riches en histoire et en art, mais ce sont aussi des lieux de rencontre. Parmi les plus connues et fascinantes, se trouvent la Piazza del Campidoglio, conçue par Michel-Ange, la Piazza Farnese, avec le beau Palazzo Farnese, la Piazza Santa Maria dans Trastevere, avec l'église homonyme, la Piazza della Rotonda, où se trouve le Panthéon ou la Piazza Venezia, avec l'imposant Autel de la Patrie.

2 La fontaine la plus connue est la magnifique fontaine de Trevi, qui devint l'une des icônes de la ville grâce à la fameuse scène du film *La dolce vita*. Mais il y a de nombreuses autres belles fontaines à découvrir et à admirer : les fontaines de Piazza Navona, la fontaine du Triton, la fontaine des Naïades, la fontaine des Tortues ou encore la fontaine des Hippocampes, par exemple.

3 Rome est une ville pleine de parcs, l'option parfaite pour les amoureux de la nature.

Outre Villa Borghese, les parcs les plus connus sont Villa Torlonia, avec la fameuse Casina delle Civette, Villa Doria Pamphili, le parc le plus grand de la ville, le Giardino degli Aranci, disposant d'une magnifique terrasse avec des vues sur Rome. En dehors du centre historique, se trouve le Parco dell'Appia Antica, près des catacombes, et le Parco degli Acquedotti, dans la banlieue, tous deux parcs archéologiques.

Spaziergang durch Rom

Die Liebhaber von Kunst und Kultur werden in Rom nicht enttäuscht werden, es besteht es großes und vielfältiges Angebot: Museen, Kunstgalerien, archäologische Ausgrabungsstätten, Plätze, Brücken, Kirchen, Parks und vieles mehr.

Für Fans von Museen und Kunstgalerien hält Rom viele Optionen bereit: die Kapitolinischen Museen, die Galleria Colonna, die Galleria Spada, MAXXI oder der Palazzo delle Esposizioni sind nur einige Beispiele. Für diejenigen, die gerne etwas an der frischen Luft unternehmen, besteht ebenfalls eine Vielzahl an Optionen.

1 Auf den Plätzen von Rom atmet man viel Geschichte und Kunst, es sind aber auch alltägliche Treffpunkte. Zu den berühmtesten und faszinierendsten Plätzen zählen Piazza del Campidoglio, die von Michelangelo entworfen wurde, Piazza Farnese mit dem wunderschönen Palazzo Farnese, Piazza Santa Maria in Trastevere mit der gleichnamigen Kirche, Piazza della Rotonda, wo sich der Pantheon befindet, oder Piazza Venezia mit dem imposanten „Altar des Vaterlandes".

2 Der bezaubernde Trevi-Brunnen ist der berühmteste und hat sich dank der berühmten Filmszene in *La dolce vita* in eines der Wahrzeichen der Stadt verwandelt. Es gibt aber viele andere schöne Brunnen zu entdecken und bewundern: Der Vierströmebrunnen auf der Piazza Navona, der Tritonenbrunnen, der Najaden-Brunnen, der Schildkrötenbrunnen, oder der Seepferdchenbrunnen, um nur einige zu nennen.

3 Rom ist eine Stadt voller Parks, die eine perfekte Option für Naturliebhaber sind. Neben den Parkanlagen Villa Borghese, sind die berühmtesten Villa Torlonia mit der populären Casina delle Civette, Villa Doria Pamphili, die die größte Parkanlage der Stadt ist und der Giardino degli Aranci, von dem aus man einen hervorragenden Blick auf die Stadt hat. Außerhalb der historischen Altstadt liegt der Parco dell'Appia Antica, der sich in der Nähe der Katakomben befindet und im Umland der Parco degli Acquedotti, beides sind archäologische Parks.

Wandelen in Rome

Rome zal de liefhebbers van kunst en cultuur niet teleurstellen. Het aanbod is breed en gevarieerd: musea, kunstgalerijen, archeologische opgravingen, pleinen, bruggen, kerken, parken en nog veel meer.

Voor de liefhebbers van musea en kunstgalerijen heeft Rome vele mogelijkheden: de Capitolijnse Musea, de Galleria Colonna, de Galleria Spada, MAXXI of het Palazzo delle Esposizioni, zijn slechts een paar voorbeelden. En voor wie graag buiten is, zijn er nog veel meer mogelijkheden.

1 De pleinen van Rome zijn rijk aan geschiedenis en kunst, maar het zijn ook ontmoetingsplaatsen. Tot de bekendste en meest fascinerende pleinen behoren het Piazza del Campidoglio, ontworpen door Michelangelo, de Piazza Farnese, met het prachtige Palazzo Farnese, de Piazza Santa

Maria in Trastevere, met de gelijknamige kerk, de Piazza della Rotonda, waar zich het Pantheon of de Piazza Venezia bevindt, met het imposante Altaar van het Vaderland.

2 De bekendste is de prachtige Trevifontein, die een van de iconen van de stad werd dankzij de beroemde scène uit de film *La dolce vita*. Maar er zijn nog vele andere prachtige fonteinen te ontdekken en te bewonderen: de fonteinen van Piazza Navona, de Fontana del Tritone, de Fontana delle Naiadi, de Fontana delle Tartarughe of de Fontana dei Cavalli Marini, bijvoorbeeld.

3 Rome is een stad vol met parken, de perfecte keuze voor liefhebbers van groen. Naast Villa Borghese zijn de bekendste parken Villa Torlonia, met de beroemde Casina delle Civette, Villa Doria Pamphili, het grootste park van de stad en Giardino degli Aranci, met een prachtig terras met uitzicht op Rome. Buiten het historische centrum vinden we het Parco dell'Appia Antica, vlakbij de catacomben, en het Parco degli Acquedotti, aan de rand van de stad, beide archeologische parken.

Collana *Un fine settimana a...*

Autrice
Slawka G. Scarso

Coordinamento editoriale e redazione
Ludovica Colussi
Attività
Ludovica Colussi
Impaginazione e progetto grafico
Oriol Frias
Traduzioni
Anexiam - Language Services

Ristampa: agosto 2019
ISBN: 978-84-17710-20-0
Deposito legale: B 14427-2019
Stampato in UE

MISTO
Carta da fonti gestite in maniera responsabile
FSC® C125125

Fotografie

Copertina belenox/iStockphoto; **p. 4** franckreporter/iStockphoto, querbeet/iStockphoto, Photokanto/iStockphoto, percds/iStockphoto, ValerioMei/iStockphoto; **p. 5** seb_ra/iStockphoto, Baloncici/iStockphoto, Celli07/iStockphoto, neirfy/iStockphoto, Imgorthand/iStockphoto, Anne Richard/Dreamstime; **p.6** rarrarorro/iStockphoto; **p. 7** boggy22/iStockphoto; **p. 8** Vaakeval/Dreamstime; **p. 9** Inna Felker/Dreamstime; **p. 10** Violetastock/iStockphoto; **p. 11** AlexanderCher/iStockphoto; **p. 12** xbrchx/iStockphoto; **p. 13** e55evu/iStockphoto; **p. 15** shapecharge/iStockphoto, Astarot/iStockphoto, Georgijevic/iStockphoto, JulieanneBirch/iStockphoto, amenic181/iStockphoto, malamooshi/iStockphoto; **p. 16** bwzenith/iStockphoto; **p. 17** ventdusud/iStockphoto, OlegAlbinsky/iStockphoto, hocus-focus/iStockphoto; **p. 18** Pavlo Plakhotia/iStockphoto, Fortgens Photography/iStockphoto, rarrarorro/iStockphoto, LPLT/Wikimedia, bruev/iStockphoto, only_fabrizio/iStockphoto; **p. 19** travelif/iStockphoto, ollo/iStockphoto, ajt/iStockphoto, AntonioGuillem/iStockphoto, Tods0859/iStockphoto, Kriscole/Dreamstime, 22tomtom/Dreamstime; **p. 20** Angelo Cordeschi/Dreamstime; **p. 21** mgallar/iStockphoto; **p. 22** piola666/iStockphoto; **p. 23** marcovarro/iStockphoto; **p. 26** Roxiller/iStockphoto; **p. 28** spooh/iStockphoto; **p. 29** Ncristian/Dreamstime, trolvag/Wikimedia, ValerioMei/iStockphoto; **p. 30** eggeeggjiew/iStockphoto, zodebala/iStockphoto, artisteer/iStockphoto, tanuha2001/iStockphoto, baranozdemir/iStockphoto, orinoco-art/iStockphoto; **p. 31** bluestocking/iStockphoto, obewon/iStockphoto, margouillatphotos/iStockphoto, Lesyy/iStockphoto, StockPhotoAstur/iStockphoto; **p. 33** rarrarorro/iStockphoto; **p. 34** aizram18/iStockphoto; **p. 37** milla1974/iStockphoto, ALLEKO/iStockphoto, sal61/iStockphoto, alexpacha/iStockphoto, LauriPatterson/iStockphoto, AlexPro9500/iStockphoto, Barcin/iStockphoto, Xsandra/iStockphoto, Peter Cernoch/iStockphoto; **p. 38** YinYang/iStockphoto; **p. 39** NYPhotoboy/iStockphoto, lenazap/iStockphoto, Ryzhkov/iStockphoto; **p. 40** monkeybusinessimages/iStockphoto, anouchka/iStockphoto, mraoraor/iStockphoto, Marco Rosario Venturini Autieri/iStockphoto, monkeybusinessimages2/iStockphoto, helovi/iStockphoto; **p. 41** JannHuizenga/iStockphoto, Maica/iStockphoto, KEN-workshop/iStockphoto, lucamato/iStockphoto, Petar Milosevic/Wikimedia; **p. 42** walencienne/iStockphoto; **p. 43** Michelangelo/Wikimedia; **p. 44** NanoStockk/iStockphoto; **p. 45** Giulio_dgr/iStockphoto; **p. 49** Art-Marie/iStockphoto; **p. 50** Crisfotolux/iStockphoto; **p. 51** Polifoto/iStockphoto, fazon1/iStockphoto, Gabriele Maltinti/iStockphoto